ESTE É O FAMOSO TIRANOSSAURO REX, CUJO NOME SIGNIFICA "REI DOS TIRANOS". FOI UM DOS MAIORES PREDADORES TERRESTRES DE TODOS OS TEMPOS.

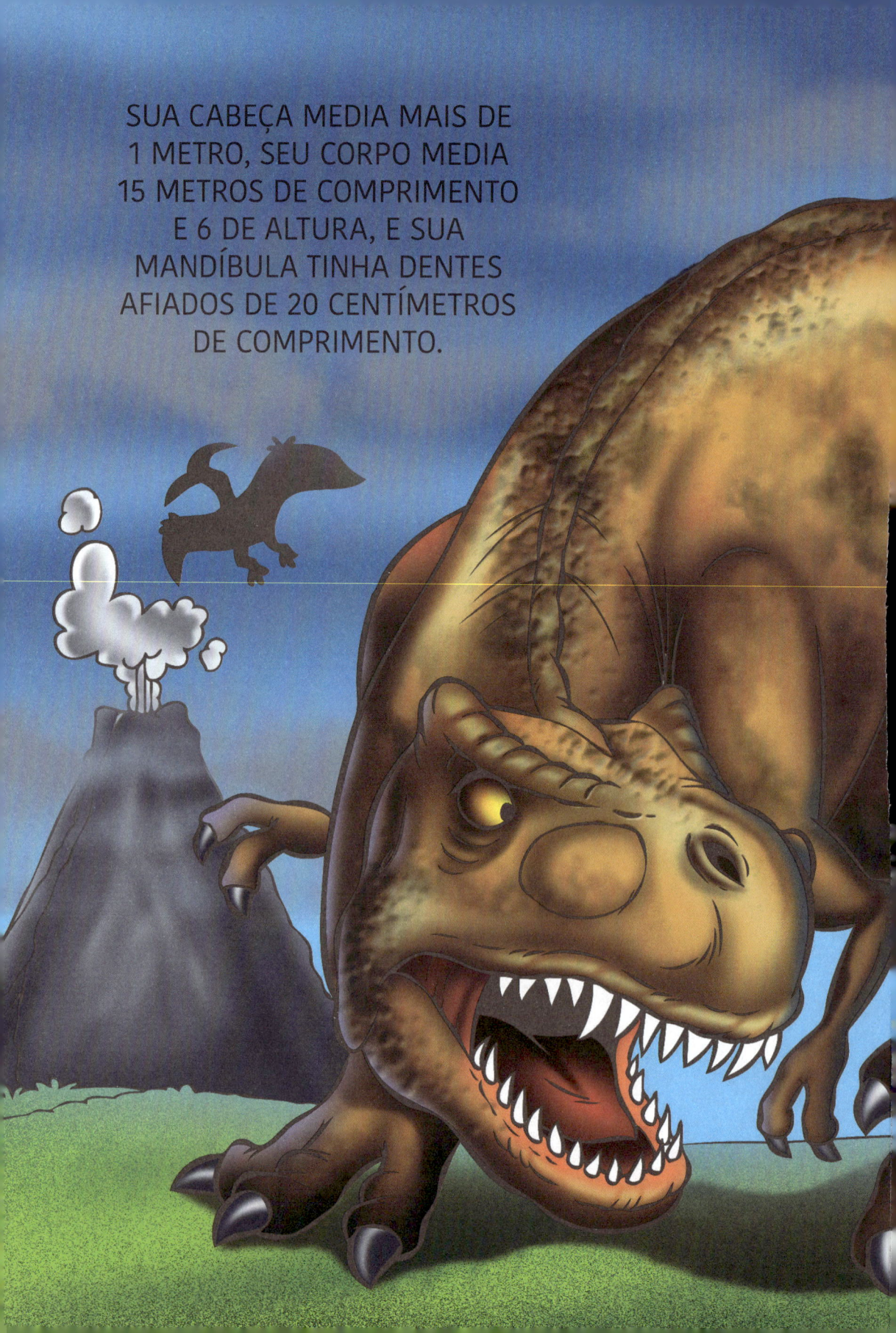

SUA CABEÇA MEDIA MAIS DE 1 METRO, SEU CORPO MEDIA 15 METROS DE COMPRIMENTO E 6 DE ALTURA, E SUA MANDÍBULA TINHA DENTES AFIADOS DE 20 CENTÍMETROS DE COMPRIMENTO.

ACREDITA-SE QUE ELE CAÇAVA EM BANDOS, CERCANDO AS VÍTIMAS PARA QUE NÃO ESCAPASSEM. PODIA DEVORAR ATÉ 130 QUILOS DE CARNE EM UMA SÓ REFEIÇÃO.

COM AS PATAS TRASEIRAS COMPRIDAS E FORTES, O TIRANOSSAURO ERA MUITO VELOZ, E É PROVÁVEL QUE TENHA SIDO UM ÓTIMO NADADOR. ELE SE EMBOSCAVA NAS FLORESTAS E LAGOS À ESPERA DE SUAS PRESAS.

ATIVIDADE

AJUDE O TIRANOSSAURO A ENCONTRAR SUA PRESA.